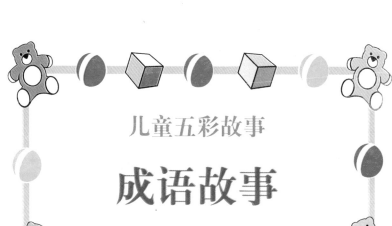

儿童五彩故事

成语故事

彩色注音版

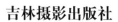

吉林摄影出版社

前 言

　　成语是中华民族几千年社会发展、人际交往中逐渐形成的特有的语言表达方式,也是日常生活中经常可以用到的。在表词达意方面,有画龙点睛的效果。

　　成语一般出处多为历史典故、传奇故事、历代经典典籍及诗词歌赋等等。也就是说每一个成语后面都有一个耐人寻味的故事。

　　成语的主要形式为四字词组或短语,简洁生动地表达人们丰富的思想感情。在中华民族语言文字宝库中源远流长。学习成语,既是少年儿童丰富历史知识的重要途径,也是提高文学水平、增强书面和语言表达能力的良好开端。今天我们把常用成语以故事的形式推出,精选了成语故事七十四篇,并配以活灵活现的精美插图,作为《五彩丛书》中一抹靓丽的色彩奉献给广大亲爱的小读者,希望大家能够多多采撷这些璀璨的明珠……

目　录

一箭双雕

　　南北朝时期,北周有一个武官叫长孙晟。长孙晟足智多谋,武艺高强,骑马射箭的本领更是无人能比。

　　北周北方的边境,有个突厥族。突厥族首领摄图为了与北周通使结好,便向北周皇帝求亲。北周皇帝也非常高兴,就派长孙晟护送公主去与摄图成婚。摄图见到长孙晟后,也十分欣赏他,便要求他留下来住上一段时间。有一天,长孙晟同突厥王一同去打猎。忽然看见两只大鸟在空中,为一块肉撕打在一起。突厥王知道长孙晟箭法精湛,便递过去两支箭,对他说:"你能用两支箭,把两只大鸟同时射下来吗?"长孙晟从突厥王手中拿过

yī zhī jiàn　　zhǐ tīng　sōu　de yī shēng liǎng zhī dà niǎotóng shí luò di

一支箭，只听"嗖"的一声，两只大鸟同时落地。

zài cháng de suǒ yǒu rén dōu wèi zhǎng sūn shèng de jiàn fǎ gǔ zhǎng hē

在场的所有人都为长孙晟的箭法鼓掌喝

cǎi　　tū jué wáng yě gèng jiā pèi fú zhǎng sūn shèng

彩。突厥王也更加佩服长孙晟。

hán yì　　yuán lái zhǐ yī zhī jiàn shè sǐ liǎng zhī diāo　hòu bǐ yù

含义：原来指一支箭射死两只雕，后比喻

yī jǔ liǎng dé

一举两得。

bī shàngliángshān
逼上梁山

běi sòng mò nián，shuǐ bó liángshān jù jí le xǔ duō yīng xióng háo
北宋末年，水泊梁山聚集了许多英雄豪

jié tā men jié fù jì pín chú bào ān liáng dāng shí dōng jīng bā shí
杰，他们劫富济贫，除暴安良。当时，东京八十

wàn jìn jūn jiào tóu lín chōng wǔ yì gāo qiáng wéi rén zhèng zhí hòu zāo
万禁军教头林冲，武艺高强，为人正直，后遭

rén xiàn hài bèi pò shàng le liángshān
人陷害，被迫上了梁山。

yǒu yī tiān lín chōng yǔ qī zǐ dào miào lǐ shāoxiāng tài wèi gāo
有一天，林冲与妻子到庙里烧香，太尉高

qiú de ér zi gāo yá nèi jiàn lín chōng de qī zǐ mào měi rú huā biàn
俅的儿子高衙内，见林冲的妻子貌美如花，便

shàngqián tiáo xì dàn bèi lín chōng zǔ zhǐ gāo yá nèi wèi le bà zhàn
上前调戏，但被林冲阻止。高衙内为了霸占

lín chōng de qī zǐ jìng ràng gāo qiú zhǐ shǐ lù qiān yī tóngxiàn hài lín
林冲的妻子，竟让高俅指使陆谦一同陷害林

chōng bǎ tā fā pèi cāngzhōu bìng ān pái rén zài lù shàngshā sǐ lín
冲，把他发配沧州，并安排人在路上杀死林

chōng lín chōng de yì xiōng lǔ zhì shēn zhī dào hòu zài yě zhū lín jiù
冲。林冲的义兄鲁智深知道后，在野猪林救

le lín chōng dàn hěn dú de gāo qiú wèi le zhǎn cǎo chú gēn jiù yòu pài
了林冲。但狠毒的高俅为了斩草除根，就又派

lù qiánqián qù zài lín chōngkān hù de cǎo liào chǎngfàng huǒ shāo sǐ tā
陆谦前去，在林冲看护的草料场放火烧死他。

jiù zài lù qiánfàng huǒ shí lín chōngzhèng hǎo dǎ jiǔ huí lái zài shānshén
就在陆谦放火时，林冲正好打酒回来，在山神

miào nèi tīng dào le tā men de duì huà lín chōng dāng shí rěn wú kě rěn
庙内听到了他们的对话。林冲当时忍无可忍，
chōng le chū lái shā sǐ le tā men hòu lái lín chōng wèi bǎo quán xìng
冲了出来，杀死了他们。后来，林冲为保全性
mìng bù dé bù bēn shàng liáng shān
命不得不奔上梁山。

hán yì bǐ yù bèi bī wú nài bù dé bù zuò mǒu zhǒng shì
含义：比喻被逼无奈，不得不做某种事。

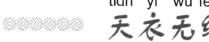

<ruby>天<rt>tiān</rt></ruby> <ruby>衣<rt>yī</rt></ruby> <ruby>无<rt>wú</rt></ruby> <ruby>缝<rt>fèng</rt></ruby>

传说古代太原地区有个书生叫郭翰。夏天的一个傍晚，因天气十分炎热，他就躺在自家的院子里乘凉。

忽然，随着一阵清风的袭来，郭翰眼前一亮，只见一位身着华丽锦衣的美丽女子飘飘然从天而降，来到他的面前。郭翰感到十分惊疑。

只见仙女笑盈盈地用异常清脆悦耳的声音说到："书生莫惊，我是天上的织女，对你并没有恶意。"郭翰仔细打量着仙女穿的衣服，发现她的衣服竟然连一条衣缝也没有，就好奇地问道："仙女，你的衣裙是用什么制成的，为什么连针线缝过的痕迹也没有呢？"织女微微一笑说："这不奇怪，我穿的是天衣，因为天衣是天上的神仙做成的，他们不用针线缝制，所以自然没有缝啦。"郭翰听后茅塞顿开，暗暗点头说："噢，原来天衣是无缝的。"

含义：原指衣服做工精美，后比喻说话或做事没有一点破绽。

dǎ cǎo jīng shé
打草惊蛇

nán táng shí qī dāng tú xiàn yǒu yī gè jiào wáng lǔ de xiàn guān
南唐时期，当涂县有一个叫王鲁的县官。

cǐ rén yīn xiǎn jiǎo zhà yǔ shǒu xià de zhǔ bù gōu jié qǐ lái duì bǎi xìng
此人阴险狡诈，与手下的主簿勾结起来对百姓

qiāo zhà lè suǒ lüè duó mín cái bǎ dāng dì lǎo bǎi xìng hài dé jiào kǔ
敲诈勒索、掠夺民财，把当地老百姓害得叫苦

lián tiān yǒu kǔ nán yán
连天，有苦难言。

lǎo bǎi xìng men hèn tòu le guān fǔ zhè bāng rén zài rěn wú kě rěn
老百姓们恨透了官府这帮人，在忍无可忍

de qíng kuàng xià tā men xiǎng chū yī gè bàn fǎ lián míng xiě le zhuàng
的情况下，他们想出一个办法，联名写了状

zi gào fā le qī yā bǎi xìng tān zāng wǎng fǎ de zhǔ bù yāo qiú bì
子告发了欺压百姓、贪赃枉法的主簿，要求必

xū yán chéng
须严惩。

dāng zhuàng zi dì jiāo gěi xiàn yá mén shí wáng lǔ jiē guò àn juàn
当状子递交给县衙门时，王鲁接过案卷

yī kàn lǎo bǎi xìng gào de jìng rán shì zhǔ bù bù jìn xià chū yī shēn
一看，老百姓告的竟然是主簿，不禁吓出一身

lěng hàn yīn wèi zhǔ bù gàn de xǔ duō wéi fǎ zhī shì dōu yǔ tā zì
冷汗。因为主簿干的许多违法之事，都与他自

jǐ yǒu guān lián yào shì zhēn chá qǐ lái tā zì jǐ zǎo wǎn yě huì bèi
己有关连，要是真查起来，他自己早晚也会被

zhuī chá chū lái huāng máng zhōng wáng lǔ zài zhuàng zǐ shàng xiě xià le
追查出来。慌忙中王鲁在状子上写下了

^{rǔ suī dǎ cǎo} ^{wú yǐ jīng shé} ^{yì sī shì shuō} ^{nǐ men suī rán}
"汝虽打草,吾已惊蛇"。意思是说,你们虽然
^{gào de shì zhǔ bù} ^{dàn wǒ què xiàng duǒ zài cǎo cóng zhōng de shé yí yàng}
告的是主簿,但我却像躲在草丛中的蛇一样,
^{yě bèi xià le yí tiào}
也被吓了一跳。

^{hán yì} ^{bǐ yù zuò shì tòu lòu le fēng shēng jīng dòng le duì fāng}
　含义:比喻做事透露了风声,惊动了对方,
^{zhì shǐ duì fāng yǒu le fáng bèi}
致使对方有了防备。

事半功倍

shì bàn gōng bèi

战国时，孟子作为儒家学派的传承人，经常与弟子们坐在一起谈古论今。

有一次，孟子与弟子公孙丑在一起谈统一天下的问题时，说到了周文王。

孟子说："当年的周文王仅以方圆百里的小国为基础，靠施行仁政，创下了丰功伟业，百姓也安居乐业，实在难得呀！可是如今，天下的百姓都受尽了暴政的折磨，像齐国这样土地辽阔、人口众多的大国，如果能够施行仁政，不但国家兴旺，百姓也会过上幸福的生活，到那时该有多好呀！"

公孙丑听后，也点了点头。

孟子又说："如果齐国施行仁政，只要用

gǔ rén yí bàn de lì liàng jiù néng dá dào shuāng bèi de gōng xiào

古人一半的力量,就能达到双倍的功效。"

mèng zǐ hòu lái zǒu fǎng gè guó qù tuī xíng zì jǐ de rén zhèng

孟子后来走访各国,去推行自己的"仁政"

sī xiǎng xī wàng néng jiě jiù bǎi xìng yú shuǐ shēn huǒ rè zhī zhōng

思想,希望能解救百姓于水深火热之中。

hán yì xíng róng huā fèi de láo lì xiǎo shōu dào de chéng xiào dà

含义:形容花费的劳力小,收到的成效大。

对牛弹琴

春秋时期,鲁国有个叫公明仪的琴手。他琴艺高超,弹出的曲子悦耳动听。

有一天,公明仪去郊外游玩。在一片碧绿平坦的草场,他看见几头小牛正在悠闲地吃草,牧童在远处的大树下晒太阳。公明仪面对这美丽的场景,心情非常舒畅。便拿出琴来,要为这些正在吃草的牛儿伴奏。公明仪全神贯注地弹奏着,他觉得天上的云彩,地下的小草、河流都在跟着他的旋律晃动。他本以为牛儿听到自己的琴声,也会跟着扭动起来,可是那些牛儿就像没听见一样,只顾低头吃草,对悠扬的琴声无动于衷。公明仪见牛儿不懂得欣赏他的琴声,非常生气。他放下琴,走

guò qù duì zhe niú dà fā léi tíng　zhè shí mù tóng zǒu le guò lái　duì

过去对着牛大发雷霆。这时牧童走了过来，对

gōngmíng yí shuō　nà xiē niú gēn běn tīng bù dǒng nǐ de yīn yuè　suǒ yǐ

公明仪说:"那些牛跟本听不懂你的音乐，所以

jiù shì nǐ tán de zài hǎo　tā men yě bú huì yǒu fǎn yìng de

就是你弹得再好，它们也不会有反应的。"

hán yì　　bǐ yù duì bù dǒng dào lǐ de rén jiǎng dào lǐ　duì wài

含义:比喻对不懂道理的人讲道理，对外

háng rén shuō nèi háng huà　xiàn yě yòng lái fěng cì bié rén

行人说内行话。现也用来讽刺别人。

shǒu zhū dài tù
守株待兔

春秋时期，宋国有一位十分勤劳的农夫。他每天早出晚归，精心地耕种着自己的那块田地，可到头来，刚刚能填饱自己的肚子。

一天中午，骄阳似火，劳累了一上午的农夫感到又累又饿，就坐在大树底下休息。

这时，一只野兔没头没脑地冲过来。一头撞在了离他不远的树桩上，昏死过去。农夫跑过去拎起了昏死的兔子，心中不禁暗想：哈！老天真是照顾我，想不到不费吹灰之力就捡到了一只兔子，看来我真是转运了！

从此，他再也不去种地了，每天都守在那个树桩旁等待着兔子，希望有哪只笨兔子再撞过来，让他捡到。日子一天一天过去了，却连一只兔子也没等到。农夫看着粮食一天天地减少，等他醒悟时，田里已经长满了高高的杂草，原来露头的小苗儿，早已枯死了。

含义：比喻不努力，而存侥幸心理，希望得到意外的收获。

东山再起

dōngshān zài qǐ

东晋的著名宰相谢安年轻时就学识渊博，不为名利，虽然自己已经做了官，但总觉得官场上事事复杂，官与官之间明争暗斗。便辞去官职，隐居在会稽的东山，平日里与好友登山游玩，吟诗作画，饮酒畅谈，日子过得悠闲自在。

可是大家知道，谢安这人精通兵法，才华横溢，怎么能让他隐居在东山之中呢？

扬州刺史庚冰知道后，决定请他出山，带兵打仗。可是多次邀请，都被谢安以身体不适推辞了。

后来，在谢安四十岁那年，终于被好友说服，接受邀请再次出山，在著名的"淝水之战"

zhōng rèn zhēng tǎo dà jiāng jūn   lì yòng zì jǐ de cōngmíng cái zhì   jī
中任征讨大将军，利用自己的聪明才智，击
bài le dí rén de bǎi wàn dà jūn   wèi jìn guó de qiángshèng diàn dìng le
败了敌人的百万大军，为晋国的强盛奠定了
jiān shí de jī chǔ
坚实的基础。

hán yì   bǐ yù shī shì zhī hòu chóng xīn huī fù dì wèi
含义：比喻失势之后，重新恢复地位。

名列前茅
míng liè qián máo

春秋时期，各国之间战争不断，楚、晋两国也经常为郑国的归属发生争战。

一次，楚庄王率领千军万马攻打郑国。楚军英勇善战，郑国由于国小兵弱，不久就被打得落花流水，败下阵来。

当晋国得知楚国正在攻打郑国，便派大将荀林父为主帅，带领人马前去救援。当荀林父带兵刚刚赶到郑国边境，就听有人来报，说郑国已经投降了，荀林父想了想，便下令撤军回国。

大将士会也说："目前楚军刚刚打了胜仗，势气正旺，的确不宜与楚国交战，楚军'前茅虑无'（前锋用茅草做的报警旌旗，对侦察敌

情十分准确），中军权衡轻重，后军实力充
足，所以撤军为上策。"成语"名列前茅"便由
此"前茅"而来。

含义：比喻做任何事情，都排在最前面。

负荆请罪

fù jīng qǐng zuì

战国时期，秦国经常与诸国发生战争。

一次，蔺相如作为赵国的使臣出使秦国。他凭借自己的聪明才智，在秦王面前维护了赵国的尊严，使赵国免受损失。回国后，赵王便提升蔺相如为上卿，职位超过了廉颇。廉颇，非常不服气，便要当众羞辱蔺相如。蔺相如知道后，处处回避廉颇。

一次，蔺相如的马队与廉颇正好相遇，蔺相如就马上叫人转头，绕道而行。蔺相如的随从就问："大人为何老是避开廉将军，难道还怕他不成？"蔺相如说道："我之所以避着他，是不想与他发生冲突，这个时候我们要团结一致，不能让秦国有可乘之机呀！"

当这番话传到廉颇耳中时，顿时感到万分惭愧。于是，脱下衣袍，背负荆条，去蔺相如家登门请罪。从此，二人结为生死之交。

含义：比喻人犯了错误，能主动认识错误和改正错误。

黔驴计穷

从前，贵州一带没有毛驴，也没有人见过毛驴。后来，有人从外地买了一头毛驴，用船运回了贵州。可是运回来以后，那毛驴只知吃喝，没有什么别的用途，那人就把毛驴放到山里去了。

一天，有一只老虎看到了这庞然大物，以为是非常凶猛的怪兽，就偷偷躲在树后面看着它。一会儿，毛驴忽然开口大叫了一声，响声震耳欲聋。老虎吓得调头就跑，以为毛驴要吃它。

又过了几天，老虎经过观察，觉得毛驴没有什么别的本领，就悄悄地靠近它，用爪子碰了碰毛驴，毛驴大怒，抬起后蹄踢了老虎一脚。

老虎虽然被踢了一脚,但却知道毛驴并没有什么别的本事,便扑了过去,咬断了毛驴的喉咙,痛痛快快地饱餐了一顿,高高兴兴地走了。

含义: 比喻面对困难已经没有一点办法了。

àn jiàn shāng rén
暗箭伤人

春秋时期，郑国的郑庄公得到鲁国和齐国的支持，决定共同进军许国。

大战之前，郑庄公在军队前面摆了一辆大军车，宣布说："谁要是先得到兵车，谁就当全军的统帅。"老将军颖考叔一听，一个箭步冲到前面，拉起兵车就跑，把其它人都抛在后面。有一位年青的将军公孙子都由于慢了一步，没能当上统帅，于是便对他怀恨在心，决定找个机会一定要报复他。

第二天，大战开始了。老将军挥舞着军旗，勇猛地带领战士们攻进许国城内，当老将军威风凛凛地站在城头上时，公孙子都站在一旁，趁人不备，抽出一支箭，偷偷瞄准了老将

jūn shè le guò qù　　zhǐ tīng lǎo jiāng jūn　　ā　　yī shēng biàn yìng shēng dǎo

军射了过去，只听老将军"啊"一声，便应声倒

le xià qù　　zhè yàng　　lǎo jiāng jūn jiù bèi gōng sūn zǐ dōu yòng àn jiàn shè

了下去。这样，老将军就被公孙子都用暗箭射

sǐ le

死了。

hán yì　　bǐ yù chéng rén bú bèi　　àn zhōng shāng rén

含义：比喻乘人不备，暗中伤人。

guā mù xiāng kàn
刮目相看

三国时吴国大将军吕蒙，武艺高强，英勇善战，为吴国立下不少汗马功劳。但由于从小家中贫寒，少年从军，所以读书很少。

有一次，孙权见吕蒙年轻有为，便对他说："你现在身为大将军，而且官位日增，如果想在军中长久立足，使人信服，不能单靠一身武艺，应该利用闲余时间多读些书才对。"吕蒙心想孙权所言有理，大丈夫不能只有匹夫之勇，要懂得运用谋略。

从此，吕蒙便抓紧战争空余时间读了不少书。

一次，鲁肃与他谈论军机大事。吕蒙凭借自己的经验和这几年的苦读，把当时情形分析相当透彻。鲁肃听后称赞道:"没想到今日的大将军真是文武双全呢!"吕蒙笑说:"士别三日,即便刮目相待。"

含义:比喻要用新的眼光来看事或人。

纸上谈兵

zhǐ shàng tán bīng

战国时期，赵国有一位英勇善战，精通兵法的战将名叫赵奢，为赵国立下了汗马功劳。其它国家一直不敢轻易入侵。

赵奢有个儿子叫赵括，从小就熟读兵书，对各种用兵之道也非常精通。人们都说真是将门出虎子呀！可赵奢深知，战场上发生的事情，千变万化，如果只是熟读兵书，没有作战经验，那只能说是在纸上打仗。如果真的上了战场，也不可能打胜仗。

没过几年，赵奢去世了。秦国知道后便派兵围攻赵国。赵王便叫廉颇带领四十万大军去拦劫秦军于长平。秦军因攻不下长平，便派人假传话说："秦军最怕赵括，如果是他带

bīng qín jūn zǎo chè tuì le　zhào wáng tīng le guǒ rán zhòng jì　jiù pài
兵，秦军早撤退了。”赵王听了果然中计，就派

zhào kuò tì xià le lián pō　zuì hòu　zhào kuò yīn wéi méi yǒu zuò zhàn jīng
赵括替下了廉颇。最后，赵括因为没有作战经

yàn　sì shí wàn dà jūn quán bù yù nàn　zì jǐ yě bèi luàn jiàn shè sǐ
验，四十万大军全部遇难，自已也被乱箭射死。

hán yì　zài wén zì shàng tán yòng bīng cè lüè　bǐ yù bù lián xì
含义：在文字上谈用兵策略，比喻不联系

shí jì qíng kuàng kōng fā yì lùn
实际情况，空发议论。

hán dān xué bù
邯郸学步

战国时期，赵国的都城在邯郸，那里的人走起路来姿势特别优美，邻国的人看到后都非常羡慕。

燕国的寿陵有个年青人爱慕虚荣，知道这件事后，便收拾行囊，决定去邯郸学习他们走路的姿势。

到了邯郸以后，他见邯郸人走起路来却实风度翩翩，看起来美极了。于是便跟在人们后边学了起来，可是学来学去总觉得不像，而且还招来邯郸人的嘲笑。

学了一断时间后，年青人还是学不会，就想自己必须忘记原来的走路姿势，从新学习走路，这样才能学会。又过了几天，年青人不

dàn méi yǒu xué huì hán dān rén de bù fǎ　ér qiě lián zì jǐ yuán lái zěn
但没有学会邯郸人的步法，而且连自己原来怎
me zǒu lù yě wàng le　　zuì hòu zhǐ yǒu láng bèi bù kān dì pá huí le
么走路也忘了。最后只有狼狈不堪地爬回了
yàn guó
燕国。

hán yì　　bǐ yù mó fǎng bié rén bù chéng fǎn ér sàng shī zì wǒ
含义：比喻模仿别人不成，反而丧失自我。

kè zhōu qiú jiàn
刻舟求剑

从前，有一个楚国人，意外得到一把宝剑，整日戴在腰间。

有一次，此人乘船过江，一不小心，将自己的宝剑掉进江里，便急得大叫："我的宝剑。"船夫看见后，马上将船停了下来，叫他想办法下去打捞。可是他见滔滔的江水还不敢下去。这个楚国人沉思了一会，笑着从身上拿出一把小刀，在船上刻了一个记号，嘴里还说："记住是从这掉下去的就行了。"说完，就告诉船夫开船。

一会儿船来到对岸，楚国人笑着从刻着记号的地方跳入江中，可找了半天也没找到，自己心里还在嘀咕，明明是从这掉下去的，怎

me huì zhǎo bù dào qí tā rén zhī dào hòu dōu xiào zhe shuō bǎo jiàn
么会找不到。其他人知道后都笑着说："宝剑
diào jìn jiāng zhōng jiān chuán zài xíng shǐ kě bǎo jiàn bú huì gēn zhe zǒu
掉进江中间，船在行驶，可宝剑不会跟着走
wa zhēn shì yú chǔn
哇，真是愚蠢。"

hán yì bǐ yù zuò shì bù zhī dào gēn zhe qíng shì de biàn huà ér
含义：比喻做事不知道跟着情势的变化而
gǎi biàn guò fèn sǐ bǎn
改变，过分死板。

近水楼台

jìn shuǐ lóu tái

范仲淹是北宋著名的政治家，以正直敢言著称。

范仲淹任杭州知府时，很注意任用贤才，提拔了许多有才能的人。外县有一个巡检官苏麟久未提拔，心中有些不平，心想我的才能也不比别人差，为什么他们都升了官，而我却还是一个小小的巡检。

后来，苏麟写了一首诗，托人送给范仲淹，其中两句是"近水楼台先得月，向阳花木易为春"。意思是说，我知道我不被提拔，不是因为我的能力不行，而是因为我们离得太远，我没有机会罢了。话说得虽然含蓄，目的却很明白。

fàn zhòng yān bìng méi yǒu yīn wèi zhè yī fēng xìn ér tí bō tā jīng
范仲淹并没有因为这一封信而提拔他,经
guò yī duàn shí jiān de yàn zhèng zhēnzhèng le jiě sū lín de cái néng hòu
过一段时间的验证,真正了解苏麟的才能后,
cái gěi tā ān pái le hé shì de guān zhí
才给他安排了合适的官职。

hán yì bǐ yù wèi jiē jìn mǒu rén huò mǒu shì chù yú yōu yuè
含义:比喻为接近某人或某事,处于优越
de dì wèi
的地位。

bā xiān guò hǎi
八仙过海

传说很久很久以前，有八位得道仙人，李铁拐、汉锺离、吕洞滨、曹国舅、张国老、韩湘子、篮采和、何仙姑，人称八仙。

一日，八位仙人要到东海去游蓬莱岛。本来，腾云驾雾，一眨眼就可到，可是吕洞滨偏偏别出心裁，说道："我们如果乘云过，怎么能显示出我们的本事？不如我们各位都拿出自己的宝物各自过海，各显神通，你们意下如何？"七位仙人也觉得有意思，便纷纷赞同。

说完吕洞滨把宝剑往河里一扔，踩着漂在海上；李铁拐把葫芦变大，自己骑在上面，乐呵呵地过海；汉锺离打开蒲扇垫在脚底；韩湘子放下仙笛当坐骑；曹国舅脚踏巧板浪里

-36-

piāo zhāng guǒ lǎo pá shàng máo lǘ bèi lán cǎi hé huà zhe zhú bǎn hé

漂;张果老爬上毛驴背;蓝采和划着竹板;何

xiān gū zuò zài lián huā shàng bā wèi xiān rén piāo zài hǎi miàn shàng yǒu shuō

仙姑坐在莲花上。八位仙人飘在海面上,有说

yǒu xiào kào zhe zì jǐ dú tè de běn lǐng dù guò le dà hǎi

有笑,靠着自己独特的本领,渡过了大海。

hán yì yuán shì bā xiān guò hǎi gè xiǎn shén tōng bǐ yù zuò

含义:原是八仙过海,各显神通。比喻做

shì měi gè rén dōu yǒu zì jǐ de bàn fǎ xiǎn shì gè zì běn lǐng

事每个人都有自己的办法,显示各自本领。

自相矛盾

矛和盾都是我国古代打仗所用的兵器，矛是用来进攻的，盾是用来防守的。

从前，有一个既卖矛又卖盾的生意人，为了招揽顾客，便对他的矛和盾进行宣传，他先举起盾，向人叫卖说："我的盾，是世上最坚固的，就是用最锋利的矛去刺，也不能刺穿它！"大家听后，果然都围了过来，想看看世上最坚固的盾。他见宣传十分有效，又举起手中的矛，说道："我的矛是世上最锋利的，无论多么坚固的盾，都能被它戳穿！"

站在旁边的人听了，都觉得好笑，其中有一个人反问他："既然你的盾坚固得什么也戳不穿，你的矛又锋利得什么都能够戳穿，那

^{me} ^{jiù} ^{yòng} ^{nǐ} ^{de} ^{máo} ^{qù} ^{chuō} ^{nǐ} ^{de} ^{dùn} ^{jiāng} ^{huì} ^{zěn} ^{me} ^{yàng} ^{ne}
么，就用你的矛去戳你的盾，将会怎么样呢？

^{zhè} ^{gè} ^{mài} ^{zhǔ} ^{bèi} ^{wèn} ^{dé} ^{zhǎng} ^{hóng} ^{le} ^{liǎn} ^{zhāng} ^{zhe} ^{zuǐ} ^{yī} ^{jù}
这个卖主被问得涨红了脸，张着嘴，一句

^{huà} ^{yě} ^{huí} ^{dá} ^{bù} ^{shàng}
话也回答不上。

^{hán} ^{yì} ^{bǐ} ^{yù} ^{yǔ} ^{yán} ^{huò} ^{xíng} ^{dòng} ^{qián} ^{hòu} ^{hù} ^{xiāng} ^{dǐ} ^{chù}
含义：比喻语言或行动前后互相抵触。

cāng hǎi sāng tián
 沧海桑田

　　传说在很久以前的古时候，有一位得道的仙人叫王方平，此人仙术非常高明。

　　一天，王方平到弟子家去做客。

　　弟子见师父来访，赶忙请进屋内，王方平一进门，便见有一位美丽的姑娘坐在屋中。此女子看上去有十七八岁，身穿一身彩衣，眉清目秀、如花似玉，身上也透出一股仙气。王方平见她相貌不俗便与她攀谈起来。

　　姑娘说："小女子名叫麻姑，早年修炼成仙，自从得天命以后，我已经亲眼看见三次大海变成平地。刚才来时，途经蓬莱仙岛，那里的海水也比以前浅了许多。不久以后可能也会变成平地。"

wáng fāng píng tīng gū niáng zhè me yī jiǎng xīn lǐ biàn míng bái cǐ
王方平听姑娘这么一讲,心里便明白,此
nǚ zǐ lì jīng shì jiān rú cǐ jù biàn yě dìng shì gè xiū dào qiān nián de
女子历经世间如此巨变,也定是个修道千年的
xiān rén yīn cǐ xīn zhōng shēng qǐ jǐ fēn jìng wèi
仙人。因此心中升起几分敬畏。

成語

故事

hán yì bǐ yù shì shì biàn huà hěn dà chā bié hěn dà de dōng
含义:比喻世事变化很大。差别很大的东
xī suí zhe shí jiān de tuī yí kě yǐ xiāng hù zhuǎn huàn
西随着时间的推移可以相互转换。

wán bì guī zhào
完璧归赵

战国时期，秦王听说赵王得到一个宝贝叫和氏璧。便叫人通知赵王，说他愿意用十五座城池来交换和氏璧。

赵王知道后却说："交换倒也可以，但如果我们把和氏璧送上，却得不到城池怎么办？"大臣蔺相如说："我愿意出使秦国，如果秦国不交出城池，我将把和氏璧，完好无损的带回来。"赵王听了这话，就派蔺相如带上和氏璧出使秦国。秦王接过和氏璧后，口中连连称赞，爱不释手。可完全没有提用城池交换的事，蔺相如就对秦王说："和氏璧虽然是块宝玉，可是它也有一处瑕疵。"说完就从秦王手中拿回和氏璧，举在手中说："如果秦王不

kěn yòng chéng chí jiāo huàn wǒ jiù jiāng tā huǐ diào qín wáng pà lìn xiàng
肯用城池交换，我就将它毁掉。"秦王怕蔺相

rú zhēn de bǎ hé shì bì shuāi suì jiù tóng yì le lìn xiàng rú pà qín
如真的把和氏璧摔碎，就同意了。蔺相如怕秦

wáng fǎn huǐ biàn jiào rén lián yè bǎ hé shì bì sòng huí le zhào guó
王反悔，便叫人连夜把和氏璧送回了赵国。

hán yì bǐ yù bǎ jiè lái de wù pǐn wán zhěng wú sǔn dì huán
含义：比喻把借来的物品，完整无损地还

gěi běn rén
给本人。

chē shuǐ mǎ lóng
车水马龙

东汉时期，伏波将军马援的小女儿被选入宫当了皇后。章帝即位后，对马太后十分孝顺，还决定给她自家的亲戚封官加爵，但都被马太后拒绝了。

有一年，发生了旱灾，土地干裂，庄稼不长，河苗也干枯了。

这时，有人进谏对章帝说："天不下雨，可能是由于没有加封太后亲戚的缘故。"章帝听后也觉得有道理，便去请示马太后。

马太后听完却说："那些要给我亲戚封官的人，是为了讨好你，自己好得到高官厚禄。再说我的亲戚现在生活的也十分富裕。前些天，我从家门前经过，看到进进出出的车辆就像流

^{shuǐ yī yàng} ^{mǎ rú tiān shàng de yóu lóng yī yàng duō} ^{zhǐ zhī xiǎng lè}
水一样，马如天上的游龙一样多，只知享乐。
^{xiàng zhè zhǒng rén zěn me néng fēng guān ne} ^{zhāng dì tīng hòu} ^{yě lián}
像这种人怎么能封官呢？"章帝听后，也连
^{lián diǎn tóu}
连点头。

^{hán yì} ^{chē xiàng liú shuǐ} ^{mǎ xiàng yóu lóng} ^{xíng róng chē mǎ huò}
含义：车像流水，马像游龙。形容车马或
^{chē liàng hěn duō} ^{lái wǎng bù jué}
车辆很多，来往不绝。

滥竽充数

齐宣王喜爱听吹竽，又喜欢摆排场。他有一支三百人的吹竽乐队，每次听吹竽，一定叫这三百人一齐吹奏给他听。

有个南郭先生知道后，就自称是吹竽能手，请求为宣王吹竽。宣王很高兴，把他收编在那三百人的乐队里，给他的赏钱也和那三百人一样多。

其实，南郭先生根本不会吹竽。每逢齐宣王听吹竽，他也摆出吹竽的姿势，混在乐队里，居然没有人发现，而且还能白白拿到赏钱，一天天地蒙骗过去。

齐宣王死了，他的儿子接替了王位，他也喜欢听吹竽。不过，他和父亲不同，他不喜欢

xǔ duō rén yī qí wèi tā chuī yú　ér xǐ huān nà xiē chuī yú de rén dān
许多人一齐为他吹竽,而喜欢那些吹竽的人单

dú chuī zòu gěi tā tīng
独吹奏给他听。

nán guō xiān shēng méi yǒu bàn fǎ　zhǐ hǎo tōu tōu dì táo diào le
南郭先生没有办法,只好偷偷地逃掉了。

hán yì　bǐ yù méi yǒu zhēn zhèng de cái gàn　ér hùn zài háng jiā
含义:比喻没有真正的才干,而混在行家

lǐ miàn chōng shù　huò ná bù hǎo de dōng xi hùn zài hǎo de lǐ miàn
里面充数,或拿不好的东西混在好的里面。

bēi gōng shé yǐng
杯弓蛇影

古时，有一个叫乐广的人，在家中宴请朋友。就在两人喝酒的时候，乐广的朋友看见自己的杯中好像有一条小蛇。但还不好意思跟朋友说，于是一饮而尽。可是回到家中，就感觉不舒服。

过了一段时间，乐广又请这位朋友来家中做客。当乐广说要喝酒聊天之时，这位朋友便说出了上次的事情。乐广大笑，然后让仆人还在上次的地方摆上酒席，这次乐广说：“你看，这杯中什么也没有。”说完，便往杯中倒酒。可是当酒倒满后，朋友大声说：“这不，又是一条蛇，和上次的一样。

这时，乐广不慌不忙地从墙上取下一

zhāng gōng　　yòu wèn péng yǒu　　shé shì bú shì　jǐ jīng pǎo le　　yuè guǎng de
张弓，又问朋友，蛇是不是已经跑了。乐广的
péng yǒu tái tóu yī kàn　　cái míng bái guò lái　　yuán lái shì qiáng shàng gōng
朋友抬头一看，才明白过来，原来是墙上弓
zài jiǔ bēi lǐ de dào yǐng biàn yě gēn zhe dà xiào qǐ lái
在酒杯里的倒影，便也跟着大笑起来。

hán yì　　　bǐ yù yí shén yí guǐ　wàng zì jīng huāng yòng bù cún
含义：比喻疑神疑鬼，妄自惊慌，用不存
zài de dōng xī xià dào zì jǐ
在的东西吓到自己。

掩耳盗铃

yǎn ěr dào líng

有一个人，看见一户人家大门上挂着一只很好看的门铃，就一心想把它偷来。

他心里明白：如果我用手去摘那门铃，只要刚一碰到，那门铃就会发出响声。门铃一响，他就会被发现，不但偷不到门铃，还有可能被主人抓住。

怎么办呢？他灵机一动，想出一个"高明"的办法。他认为：铃响所以会闯出祸来，只因为耳朵能听见，假如把耳朵掩起来，不就听不见铃声了吗？"

于是，他就把自己的耳朵掩起来，然后再去偷那门铃。他以为自己听不到铃声，别人也听不到了。

可是，还没等他把铃摘下来，屋子的主人就冲出来抓住了他，因为别人并没有掩着耳朵，仍能听见铃声。

含义：比喻自己欺骗自己，明明掩饰不了的事偏要设法掩盖。

huà lóng diǎn jīng
画龙点睛

南北朝时，有一位非常有名的画家叫张僧繇，他画的画生动逼真。

有一次，张僧繇被请到一座寺庙内去画壁画。只见他挽起袖子，拿起笔在墙上"刷、刷"几下，四条巨龙便出现在墙上。大家连忙称赞说："简直就是真龙下凡呢！"

突然一个人大声喊道："还画家呢，你怎么连眼睛都忘记画了。"大家这才发现，这四条龙都没画眼睛。

张僧繇却说："我画的龙从来不画眼睛，如果龙有了眼睛，它就会飞走的。"

大家听了他的话，都觉得有点不信。张僧繇又拿起笔，在其中两只龙的眼睛上一点，只见那两只龙真地腾空而起，飞上了天空。而没画眼睛的那两只还在墙上。成语"画龙点睛"由此而来。

含义：比喻作文章或说话时，在关键的地方加上精辟的语言，使内容更加生动感人。

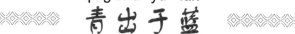

qīng chū yú lán

青出于蓝

南北朝时期，有一位很有名的文学博士叫孔番。他学识渊博，治学严谨，学生们都非常的敬仰他。他有一个弟子叫李谧，天资聪颖而且勤奋好学，没过多久，他对某些知识的掌握甚至超过了老师。有时孔番也虚心地向他请教和探讨。

一次，孔番在读书时，看到一段话非常难于理解，就虚心地问李谧道："李谧你来看看这段话应该怎么理解？"李谧经过认真地分析后，详细地回答了老师的问题。

后来有人问他："你身为老师，反而向自己的学生请教问题，您就不怕在您的学生面前失去威信吗？"孔番笑着说："青取之于蓝而青于蓝。老师也不是固定的，谁懂得多，理解得深，就可以向他请教。"那个人听后，不仅敬重他的学识，更敬重他的人品。

含义：比喻学生的才华胜过自己的老师，后人超过前人。

fù tāng dǎo huǒ
赴汤蹈火

三国时期，战争不断，各路英豪都想独霸天下。曹操当时的势力非常强大，许多人都想投靠他。

刘表是汉室后代，占据荆州。他为人优柔寡断，所以根据时局变化，准备随时归附。

刘表手下有一个官员叫韩嵩，他见曹操声势极盛，便劝刘表说："主公，如今曹操兵强马壮，会聚不少英雄侠士，而且又打着天子的旗号，依臣之见，我们不如归顺于他。"

刘表思忖片刻，说道："现在天下大乱，能人辈出，我看谁胜谁败还很难预料。不如你前往曹营，去探听虚实，回来后再作打算。"

韩嵩答道："主公放心，为臣愿'赴汤蹈

火',也在所不辞。"

最终,刘表也未归附曹操,而荆洲则被刘备所得。

含义:比喻做事可以不避艰险,无论是热水还是烈火。

瓜田李下

唐朝时，唐文宗身边有一随从，他把自己的两个女儿都进献到了皇宫里。

后来，唐文宗决定派他出任官职，可大臣们知道后，都议论纷纷，说他把自己的女儿献到宫里就是为了换个官做。柳公权听到这些议论后，就去劝唐文宗。

唐文宗生气说道："简直岂有此理，他把女儿送进了宫，是去侍奉太后，这和他做官有什么关系吗？"

柳公权连忙解释说："陛下，您没听说过古诗有'瓜田不纳履，李下不正冠'的说法吗？（就是说在瓜田里不去提鞋，在李树下不去扶帽子）您这种做法有这种'瓜田李下'的

xián yí   yòu zěn néng bù yǐn qǐ bié rén de liú yán fēi yǔ ne
嫌疑，又怎能不引起别人的流言蜚语呢？"

táng wén zōng tīng liǔ gōng quán de jiě shì dí què yǒu dào lǐ   yú
　　唐文宗听柳公权的解释的确有道理。于
shì jiù méi yǒu rèn mìng   chéng yǔ   guā tián lǐ xià   yóu cǐ ér lái
是就没有任命。成语"瓜田李下"由此而来。

hán yì   bǐ yù róng yì yǐn qǐ huái yí de dì fāng
含义：比喻容易引起怀疑的地方。

fēn dào yáng biāo
分道扬镳

南北朝时，在北魏有个掌管京城洛阳的地方官叫元志。一次，元志在乘车外出，半路上只见随从突然将车停住。元志抬头一看，原来对面也来了一辆马车。

元志还没来得及问是怎么回事，只听对面车中有人问道："是什么人这么大胆，敢与本御史抢道而行？"元志仔细一看，原来是朝中的御史中尉李彪。可元志想，这京城是我所管辖的地盘，你御史来了我就得给你让路，凭什么呀！两队人马互不相让，便吵了起来，最后两人来到孝文帝的面前，请皇帝来评理。孝文帝听后说："你们两位都是朕的爱臣，洛阳又是我的国都，依我看你们以后就从路中间分开，

gè zǒu yī biān   fēn lù yáng biāo   bā

各走一边,'分路扬镳'吧!"

tīng le xiào wén dì de jiàn yì   yuán zhì biàn pài rén bǎ lù miàn huà

听了孝文帝的建议,元志便派人把路面划

chū jiè xiàn   gè zǒu gè de lù

出界线,各走各的路。

hán yì   bǐ yù yīn mù biāo bù tóng ér gè bèn gè de qián chéng huò

含义:比喻因目标不同而各奔各的前程或

gè gàn gè de shì qíng

各干各的事情。

汗马功劳
hàn mǎ gōng láo

秦朝灭亡以后，汉高祖刘邦成了皇帝。

有一天，刘邦决定为那些与他出生入死，征战南北的文臣武将进行封赏。

刘邦坐在龙椅上说："众爱卿，你们跟随朕多年，为朕统一天下立下不少功劳，朕今天要对你们按功进行封赏。"

刘邦第一个封赏的是文臣萧何。可是一些拼战杀场的武将们却议论说："我们拼着性命在前方英勇杀敌，而他萧何在后方，只知道舞文弄墨，没有任何'汗马之劳'，为何要先封赏他呢？"

刘邦听到议论声，说道："众爱卿，朕既然先封萧何，自然有朕的道理。你们在杀场上立下的战功，这是大家亲眼所见的，可你们要想想，如果没有萧何在后方为朕出谋划策，我想朕也就不会有今天的千秋大业。"

含义：原指在战斗中立下大功。现也指在工作中有突出表现。

chū lèi bá cuì
出类拔萃

　　孟子，名轲，字子舆，生于周列王四年，他继承了孔子的儒学，成为战国中期儒家学派的代表人物，并在孔子学说的基础上进一步阐述和深入。作《孟子》七篇，后世以其宗孔子之道，尊为亚圣。

　　有一次，孟子在与弟子公孙丑在林中散步时，公孙丑问道："先生，以您现在的学问，已经可以称得上是一位圣人了吧？"孟子笑了笑说："就连孔老夫子都不敢以圣人自居，更何况我呢？"

　　公孙丑又问："那么孔子与古代的圣人有什么不同呢？"

　　孟子说："圣人和天下的老百姓是同类，

但'出乎其类，拔乎其萃'就是说圣人是出于其同类，又是其同类中的精粹。"公孙丑听后，点了点头。

含义：形容超出同类，指人的品德或才能超出别人。

围魏救赵

wéi wèi jiù zhào

战国时期，魏惠王为拓展边疆，派大将庞涓带领十万大军攻打赵国都城邯郸。

赵国由于没有防备，被魏军围困在城内。赵王立即派人前往齐国请求派兵增援。齐威王得知后，便派田忌为大将，孙膑为军师带领大军出兵救赵。

田忌带兵决定直接赶往赵国攻打魏军，而孙膑却说："魏国大部分人马已经在邯郸，我们如果直接攻打魏国都城，庞涓定会命大军紧急撤回，大军一撤，这样赵国便自然解困，我军还可以中途围攻魏军，打他个措手不及。"

田忌听后大笑道："军师果然高见，佩服，佩服！"说完，便带军直接攻打魏国都城。

guǒ rán　　yí qiè dōu xiàng shì sūn bìn ān pái hǎo de yí yàng　　qí
　　果然，一切都像是孙膑安排好的一样，齐
jūn gōng dǎ wèi guó　　páng juān chè jūn　　zhào guó jiě kùn　　qí jūn zhōng tú
军攻打魏国，庞涓撤军，赵国解困，齐军中途
wéi gōng wèi jūn　　dà huò quán shèng
围攻魏军，大获全胜。

hán yì　　bǐ yù yù dào wèn tí　bù yí dìng cóng zhèng miàn rù shǒu
　　含义：比喻遇到问题不一定从正面入手，
kě yǐ cóng lìng yí gè fāng miàn qù jiě jué wèn tí
可以从另一个方面去解决问题。

bù xué wú shù
不学无术

宋朝时，有一个宰相叫寇准，他为人耿直，做事敢怒敢言，是一个不可多得的忠臣。

这一年，寇准因被小人陷害，降职于陕州。他的朋友张咏知道后，便过来拜访。寇准得知好友来访，立刻叫人准备酒菜，并出门迎接。二人在酒桌上，开怀畅饮，谈论国家大事非常高兴。酒席过后张咏便起身告辞。临走时，寇准对张咏问道："你与我朋友多年，如今一别，不知何日再见，你可有什么话嘱咐于我？"张咏想了一会说："以你的聪明才智，应该读一下《霍光传》，读后必有所悟。"

张咏走后，寇准来到书房，拿出《霍光传》仔细阅读起来，当他读到此书对史臣的总

jié píng lùn shí　shàngmiàn xiě dào　huò guāng bù xué wú　tóng　wú
结评论时，上面写到：霍光不学亡（同"无"）

shù　àn yú dà　lǐ　kòu zhǔn cái míng bái　yuán lái zhāngyǒng shì xiǎngràng
术，暗于大理。寇准才明白，原来张咏是想让

tā duō dú xiē shǐ shū
他多读些史书。

hán yì　méi yǒu xué wèn　méi yǒu néng　lì
含义：没有学问，没有能力。

sài wēng shī mǎ
塞翁失马

战国时期，有一位叫塞翁的老人，家中走失了一匹好马，邻居知道后都来安慰老人，希望他不要过于伤心。老人反而笑着说："这也许是件好事呢？"大家听了，都十分疑惑。

果然，没过多久，这匹马回来了，还带回来一匹胡人的骏马。可老人却满面愁容地说："唉，白白得了一匹马，说不定会带来祸事呢？"

老人有个独生儿子，见那匹胡马高大雄壮就骑了上去。没想到这匹马生性暴躁，撒蹄狂奔，老人的儿子不慎跌下马，摔断了腿。邻居们听说后又来劝慰老人，老人却说："保住命已经很幸运了，也许这不是件坏事！"

不久，胡人入侵，边塞的壮汉都应征入

^{wǔ}　^{hòu lái}　^{tā men jī}　^{hū dōu zhàn sǐ zài jiāng chǎng shàng}　^{ér lǎo rén}
伍。后来,他们几乎都战死在疆场 上,而老人
^{de ér zi què yīn wèi tuǐ cán ér miǎn yú yìng wǔ}　^{bǎo zhù le xìng míng}
的儿子却因为腿残而免于应伍,保住了性命。
^{zhè zhēn shì}　^{sài wēng shī mǎ}　^{yān zhī fēi fú}　^ā
这真是"塞翁失马,焉知非福"啊!

^{hán yì}　^{bǐ yù huài shì zài}　^{yī dìng de tiáo jiàn xià kě}　^{yǐ biàn wéi}
　含义:比喻坏事在一定的条件下可以变为
^{hǎo shì}　^{ér hǎo shì yě kě}　^{yǐ biàn chéng huài shì}
好事,而好事也可以变成坏事。

jiǔ niú yī máo
九牛一毛

汉朝时,边境上的匈奴非常猖狂。汉武帝为了抗击匈奴,就派大将卫青前去征讨,并叫李陵暗中接应。

后来,李陵打了败仗,被匈奴抓了起来。李陵拒绝了匈奴的高官厚禄,死也不从。可是汉武帝却听人传言说,李陵已经叛变,一怒之下便决定将其家人满门抄斩。

司马迁知道后,便进谏说:"李陵为国效力,忠心耿耿,决对不会叛变。还请汉武帝三思而后行。"可汉武帝不但不听司马迁劝告,还怀疑司马迁对李陵有偏袒叛徒之嫌,便下令将他也抓入大牢。

司马迁在大牢内,多次想自杀,但想到自

jǐ de sǐ duì yú hàn wǔ dì lái shuō zhǐ bú guò xiàng shì cóng jiǔ tóu niú
已的死对于汉武帝来说，只不过像是从九头牛

shēnshàng bō diào yī gēn máo yī yàng wēi bù zú dào sǐ le yě méi yǒu
身上拨掉一根毛一样，微不足道，死了也没有

yì yì
意义。

hán yì bǐ yù jí dà shù liàng zhōng de yī xiǎo bù fēn
含义：比喻极大数量 中 的一小部分。

如鱼得水

rú yú dé shuǐ

东汉末年，刘备投奔荆州刘表时，军师徐庶向他推荐南阳隐士诸葛亮，并说："如果主公，可以请到诸葛亮，他必将为您创下千秋大业做出贡献。

刘备是个爱才之人，于是不远千里，三次来到南阳诸葛亮家中，请他出山。虽然前两次都扑了个空，可他仍不放弃。最终，诸葛亮被刘备的诚意所打动，辅佐刘备。

诸葛亮分析当时天下的形势，出谋划策，屡立战功。刘备从此和诸葛亮更是密不可分，整日在一起讨论用兵之道。

刘备的两个结拜兄弟却觉得诸葛亮不像想像中那么神奇。

yī rì liú bèi duì liǎng wèi xiōng dì shuō dào wǒ dé dào le zhū
一日,刘备对两位兄弟说道:"我得到了诸
gě liàng de xiāng zhù jiù hǎo xiàng yú ér dé dào le shuǐ yí yàng nǐ men
葛亮的相助,就好像鱼儿得到了水一样。你们
zǎo wǎn yǒu yī tiān huì míng bái de
早晚有一天会明白的。"

hán yì bǐ yù yù dào gēn zì jǐ hěn tóu hé de rén huò hěn shì
含义:比喻遇到跟自己很投合的人或很适
hé zì jǐ de huán jìng
合自己的环境。

bān mén nòng fǔ
班门弄斧

鲁班是春秋战国时期著名的工匠，他自幼聪明灵巧，发明了许多木工用具，带领人们修桥、房屋，后人把他尊称为木匠的"祖师爷"。鲁班的大名，人人皆知，代代相传。

唐代的大诗人李白，一生写下了许多脍炙人口的优美诗篇，被人称作"诗仙"。李白性情狂放，爱好饮酒，晚年病死在当涂县。李白死后，被葬在附近的采石矶。后来有许多文人墨客来到李白墓前凭吊，有人还题诗留念。

到了明朝，有一位诗人叫梅之涣，对李白十分敬仰。有一次他来到李白墓前，见许多人的题诗内容毫无诗意，便十分气愤，就在那些诗旁边也写了一首诗：采石江边一堆土，李白

zhī míng chuí qiān gǔ　　lái lái wǎng wǎng yī shǒu shī　　lǔ bān mén qián nòng

之名垂千古。来来往往一首诗，鲁班门前弄

dà fǔ　　tā fěng cì nà xiē tí shī de rén　　jiù xiàng shì zài lǔ bān mén

大斧。他讽刺那些题诗的人，就像是在鲁班门

qián wǔ nòng fǔ zi yī yàng　　tài bú zì liàng lì le

前舞弄斧子一样，太不自量力了。

hán yì　　yuán zhǐ zài lǔ bān miàn qián bǎi nòng fǔ zi　　bǐ yù zài

含义：原指在鲁班面前摆弄斧子，比喻在

háng jiā miàn qián mài nòng běn lǐng

行家面前卖弄本领。

外强中干

春秋时期，晋国公子在秦穆公的帮助下当上了晋国国君，称晋惠公。可是晋惠公即位后却言而无信，不承认当初答应秦穆公要割让给他五座城池塘的事。秦穆公一怒，决定率军攻打晋国。

晋惠公知道后，也选兵挑马，带领大军准备出城迎战。晋惠公挑马时，正好看见几天前郑国送给他的几匹骏马，就要换新马出战。大臣郑庆看到这种情形后，便劝晋惠公说："我国的战马，参加过无数的战斗，适应战场上的情形，这几匹马虽然看上去，高大威猛，但却'外强中干'一旦到了战场上，恐怕会惊惶失措。"

晋惠公不听郑庆的劝告，带兵出战。结果，新的战马一听到战鼓声，吓得大声惊叫，不听指挥，最终败在秦穆公的手下。

含义：形容外表上虽然很强大，但实际上很空虚。

别开生面
bié kāi shēngmiàn

唐朝时期，唐太宗为了表彰与他共同创业的二十四位开国功臣，就叫人找来当时最有名气的画家，让他在凌烟阁内画上他们的肖像，二十四位功臣被画家画的威武神勇，活灵活现。

几十年后，唐玄宗李隆基在位时，他见这些画像随着时光的流逝，色泽全无、暗淡无光。李隆基听说曹操的后裔曹霸画艺非常高超，就派人找来曹霸，让他把这些画像进行翻修，重现原貌。曹霸知道这二十四幅画像的重要性，细心描画，丝毫不敢大意。

几天后，经过曹霸的精心描摹二十四幅画像重放光彩，更加栩栩如生。

后来，杜甫赠曹霸一首诗，其中两句为"凌烟功臣少颜色，将军下笔开生面"。成语"别开生面"由此而来。

含义：比喻另外开展新的局面或创造新的形式。

wàng méi zhǐ kě
望梅止渴

东汉末年，曹操率大军攻打张绣。当时正值盛夏，由于长途跋涉，军中所带的水，早已喝完，天气又热又闷，士兵们又累又渴，早就走不动了。

曹操见此情景，担心照这样下去，士兵的意志会完全崩溃。于是想出一个办法，他骑在马背上，装出很惊喜的样子大声喊道："我看到前面有一大片梅林，树上结满了酸酸的梅子，我们可以大吃一顿。"说完，曹操便骑上马向前奔去。

士兵们一听，当时精神大振。一想到能吃到酸酸的梅子，口中生津，就像真的吃到了一样，干裂的嘴唇也有点湿润。感觉也不像刚

才那么渴了,便又继续赶路。走出了很远也没
有看到梅林,但是凭借脑海里的空想,一直前
进,终于找到了水源。

含义:比喻用想象的情节来安慰现实中
的人。

不自量力

bú zì liàng lì

春秋时期，息国是郑国的邻国。息国面积小，人口少，与郑国相比无论哪一方面都相差十分悬殊。

有一次，息国和郑国因为小事发生了冲突，双方互不相让。息国国王脾气十分暴躁，就对大臣喊道："郑国虽然实力强大，但我是不会怕他的，马上调集人马，我要攻打郑国！"这时一个大臣上前说道："以我国的实力，攻打郑国，这是跟本不可能的。"没等大臣说完，息国王便说："我管不了那么多，我必须出兵让他见识一下我的胆实。"大臣们没有办法，只好任由他出兵。

息国攻打到郑国城下，郑国只派出了一

xiǎo bù fēn rén mǎ　jiù bǎ xī guó dǎ dé sì chù táo cuàn　hòu lái rén

小部分人马，就把息国打得四处逃窜。后来人

men shuō　xī guó gōng dǎ zhèng guó　yě bú kàn kàn zì jǐ de lì liàng

们说："息国攻打郑国，也不看看自己的力量

dào dǐ yǒu duō dà

到底有多大！"

hán yì　bù néng zhèng què dì gū jì zì jǐ de lì liàng　zhǐ

含义：不能正确地估计自己的力量。指

zuò lì bù néng jí de shì

做力不能及的事。

孜孜不倦
zī zī bú juàn

上古时候，洪水经常泛滥。每次洪水都会使山峦、丘陵被围。百姓更是流离失所，全部移民他乡。

禹看到这种情况后十分着急，他就决定解救百姓于水深火热之中。从此，禹开始奔波各地，带领当地百姓全力疏通挖渠。最终，把大水引入大海中，解决了洪水泛滥的问题。

洪水退去后，禹见庄稼都已被洪水毁掉，又和稷一起带领百姓重新开始播种庄稼，使原本荒芜的土地上又长满了绿油油的庄稼。等到庄稼丰收后，禹又让大家各取所需，互相交换物品。使百姓的生活逐渐地又安定下来。

yǔ céng duì shùn dì shuō　　wéi rì zī zī　　wú gǎn yì yù　　yì
禹曾对舜帝说:"惟日孜孜,无敢逸豫。"意
sī shuō　wǒ měi tiān dōu zài bù zhī pí juàn dì gōng zuò　cóng lái bù gǎn
思说:我每天都在不知疲倦地工作,从来不敢
tān tú xiǎng lè　chéng yǔ　zī zī bú juàn　yóu cǐ ér lái
贪图享乐。成语"孜孜不倦"由此而来。

hán yì　bǐ yù qín fèn hào xué　bù zhī pí bèi
含义:比喻勤奋好学,不知疲惫。

cái gāo bā dǒu
才高八斗

　　南北朝时期，南朝有一位被众人称为"山水诗人"的文豪叫谢灵运。他自幼便爱读书、做诗，成年后纵情于山水之间，写下了许多优美的山水诗。

　　当时的宋文帝也精于诗词歌赋，对谢灵运的诗十分欣赏，并且封他为朝中的秘书监。由于他天生性情豪放，后来辞官纵游四海，每到一处，都写下许多为人传诵的好诗。人们读后都称赞道："果然语出不凡，才华横溢，天下无人能比呀！"

　　谢灵运却笑道："如果天下的才华共有一石的话，那么曹植一人就会独占八斗，而我只占一斗，天下的其他文人平分一斗！"（古代的量具中有石和斗的称呼，一石为十斗，一斗为十升。）谢灵运在谦虚的同时也表现自己的纵情豪放。

含义：比喻人学问高，可以说如果天下的才华是十的话，一个人的才华就是十之八九。

hài qún zhī mǎ
害群之马

有一年，黄帝听说具茨山有一位仙人，就决定去拜访求教。

一路上，穿林翻山，走着走着，便不知了方向。他们又绕过几座山，看见前面草地上有一个十几岁的小牧童正挥着鞭子放马。黄帝便走上前去，笑着问道："小牧童，你知道去具茨山的路吗？"

小牧童对着黄帝笑了笑，举着手中的小马鞭，把去具茨山的路详细地说了一遍。黄帝见小牧童小小年纪说起话来，如此有板有眼，将来必定是成就大事之人。

黄帝又问他是否懂得治国安邦之道。小牧童回答说："治理天下其实和我放马的道理是一样的，关键是'去其害马'。"黄帝听后，心中暗赞，真是少年有为呀！然后谢过牧童，继续赶路。

含义：比喻危害集体利益的个人。

一丝不苟
yī sī bù gǒu

明朝时，有一年皇帝下诏，全国上下任何人不得宰牛。

许多回教徒知道后，都因为吃不上牛肉而感到苦恼，长期下去，不知如何是好。

一天，一些回教徒聚集在一起商议，决定给县官汤奉送去五十斤牛肉疏通一下。汤奉也是个回教徒，他看着送来的新鲜牛肉，想吃可是又不敢违备皇上的命令，不知如何是好。于是，他便去请一个叫张静斋的聪明官员给想个办法。

张静斋听后，沉思一会说："你正好可以趁此机会，把那个送牛肉的人抓起来，给他带上枷锁，把牛肉放在枷锁上，游街示众。这样，

huáng dì zhī dào le dìng huì jiā shǎng yú nǐ shuō bù dìng hái huì shēng guān

皇帝知道了定会加赏于你,说不定还会升官

ne lǎo bǎi xìng hái huì kuā nǐ zhè ge fù mǔ guān bàn shì qíng yī

呢!老百姓还会夸你这个父母官,办事情'一

sī bù gǒu

丝不苟'。"

hán yì xíng róng bàn shì rèn zhēn lián zuì xì wēi de dì fāng yě

含义:形容办事认真,连最细微的地方也

bù mǎ hǔ

不马虎。

易如反掌

yì rú fǎn zhǎng

孟子的一名弟子叫公孙丑,他一生对两个人十分敬佩,他们就是战国时的晏婴和管仲。晏婴辅佐齐景公,施仁政,因其以知人善任而著称,使齐国逐渐强盛。而管仲是辅佐齐桓公的,他帮齐桓公成为春秋时的第一个霸主。为此,公孙丑也希望老师孟子也成为像他们一样的人。

有一天,公孙丑来到孟子面前,恭敬地请教老师说:"老师,您如果在齐国当政,能否像晏婴和管仲一样建功立业呢?"

孟子听后很不高兴,他反问公孙丑:"你为什么拿我和他们比呢?齐国乃是大国,人口众多,所以只要稍加治理,实行仁政,那么统

yī tiān xià jiù huì xiàng bǎ shǒuzhǎng fān guò lái yī yàngróng yì
一天下就会像把手掌翻过来一样容易。"

gōng sūn chǒu kàn le kàn shǒu yòu qiáo le qiáo lǎo shī ruò yǒu suǒ
公孙丑看了看手，又瞧了瞧老师，若有所

sī de diǎn le diǎn tóu shuō lǎo shī wǒ dǒng le
思的点了点头说："老师，我懂了。"

hán yì xíngróng zuò yī jiàn shì jiù xiàng fān shǒuzhǎng yī yàngróng
含义：形容做一件事就象翻手掌一样容

yì
易。

<ruby>骄<rt>jiāo</rt></ruby> <ruby>兵<rt>bīng</rt></ruby> <ruby>必<rt>bì</rt></ruby> <ruby>败<rt>bài</rt></ruby>

<ruby>西汉宣帝时<rt>xī hàn xuān dì shí</rt></ruby>，<ruby>边境纷扰<rt>biān jìng fēn rǎo</rt></ruby><ruby>经常发生战争<rt>jīng cháng fā shēng zhàn zhēng</rt></ruby>。

<ruby>一年<rt>yī nián</rt></ruby>，<ruby>北方的匈奴攻打车师国<rt>běi fāng de xiōng nú gōng dǎ chē shī guó</rt></ruby>。<ruby>车师国人<rt>chē shī guó rén</rt></ruby><ruby>少地小<rt>shǎo dì xiǎo</rt></ruby>，<ruby>国势薄弱<rt>guó shì bó ruò</rt></ruby>，<ruby>一直依附于汉朝<rt>yī zhí yī fù yú hàn cháo</rt></ruby>，<ruby>如今有<rt>rú jīn yǒu</rt></ruby><ruby>难<rt>nán</rt></ruby>，<ruby>汉朝岂能不管<rt>hàn cháo qǐ néng bù guǎn</rt></ruby>。<ruby>宣帝知道后便派大将郑<rt>xuān dì zhī dào hòu biàn pài dà jiāng zhèng</rt></ruby><ruby>吉前去援助<rt>jí qián qù yuán zhù</rt></ruby>。<ruby>可是由于匈奴个个英勇善战<rt>kě shì yóu yú xiōng nú gè gè yīng yǒng shàn zhàn</rt></ruby>，<ruby>不<rt>bù</rt></ruby><ruby>但没能救车师国<rt>dàn méi néng jiù chē shī guó</rt></ruby>，<ruby>就连郑吉和他的士兵也被<rt>jiù lián zhèng jí hé tā de shì bīng yě bèi</rt></ruby><ruby>匈奴困住<rt>xiōng nú kùn zhù</rt></ruby>。<ruby>宣帝闻讯<rt>xuān dì wén xùn</rt></ruby>，<ruby>急忙召集大臣商议<rt>jí máng zhào jí dà chén shāng yì</rt></ruby>，<ruby>如<rt>rú</rt></ruby><ruby>何对付凶奴<rt>hé duì fù xiōng nú</rt></ruby>。<ruby>大将军赵充说<rt>dà jiāng jūn zhào chōng shuō</rt></ruby>："<ruby>匈奴攻打我属<rt>xiōng nú gōng dǎ wǒ shǔ</rt></ruby><ruby>国<rt>guó</rt></ruby>，<ruby>又困我大将<rt>yòu kùn wǒ dà jiàng</rt></ruby>，<ruby>依我看<rt>yī wǒ kàn</rt></ruby>，<ruby>我们人多兵壮<rt>wǒ men rén duō bīng zhuàng</rt></ruby>，<ruby>应该<rt>yīng gāi</rt></ruby><ruby>大举进攻<rt>dà jǔ jìn gōng</rt></ruby>，<ruby>彻底击败匈奴<rt>chè dǐ jī bài xiōng nú</rt></ruby>，<ruby>好救出郑吉将军<rt>hǎo jiù chū zhèng jí jiàng jūn</rt></ruby>。"

<ruby>可丞相魏相觉得根本没有必要出兵<rt>kě chéng xiàng wèi xiāng jué dé gēn běn méi yǒu bì yào chū bīng</rt></ruby>，<ruby>说<rt>shuō</rt></ruby><ruby>道<rt>dào</rt></ruby>："<ruby>如果我们出兵<rt>rú guǒ wǒ men chū bīng</rt></ruby>，<ruby>自然很有可能击败匈奴<rt>zì rán hěn yǒu kě néng jī bài xiōng nú</rt></ruby>，<ruby>但是我们倚仗国大人强去炫耀武力<rt>dàn shì wǒ men yǐ zhàng guó dà rén qiáng qù xuàn yào wǔ lì</rt></ruby>，<ruby>要知道<rt>yào zhī dào</rt></ruby>

‘兵骄者灭’。我看还是治理整顿国内更为重要。"宣帝也觉得丞相所言有理，便派一部分骑兵救回郑吉，把车师国让给了匈奴。

含义：比喻做任何事情都不能骄傲，否则就容易失败。

胸有成竹

sòng dài yǒu yī wèi míng shì jiào wén yǔ kě tā bù jǐn shí fēn xǐ
宋代有一位名士叫文与可,它不仅十分喜
ài zhú ér qiě hái shì yī wèi yǒu míng de huà zhú zhuān jiā
爱竹,而且还是一位有名的画竹专家。

jù shuō rú guǒ jiāng wén yǔ kě de zhú huà guà zài qiáng shàng zài
据说,如果将文与可的竹画挂在墙上,在
yán rè de shèng xià zhǐ yào nǐ kàn shàng yī yǎn biàn wǎn rú zhì shēn yú zhú
炎热的盛夏只要你看上一眼便宛如置身于竹
lín yóu cǐ kě jiàn qí huà de chuán shén zhī chù
林,由此可见其画的传神之处。

wén yǔ kě zhī suǒ yǐ néng yǒu rú cǐ shén qí de huà gōng yǔ tā
文与可之所以能有如此神奇的画功,与他
píng rì lǐ ài zhú yǎng zhú guān zhú shì fēn bù kāi de wén yǔ kě
平日里爱竹、养竹、观竹是分不开的。文与可
wèi le néng bǎ zhú zi huà de shí fēn bī zhēn tā jiù zài zì jǐ de zhái
为了能把竹子画的十分逼真,他就在自己的宅
qián zāi zhòng le xǔ duō zhú zi zhǐ yào yī yǒu kòng xián tā jiù huì xì
前栽种了许多竹子,只要一有空闲,他就会细
xīn dì guān chá zhú zi shí jiān jiǔ le suǒ yǒu de zhú zi de xíng zhuàng
心地观察竹子。时间久了,所有的竹子的形状
hé biàn huà tā dōu jì zài xīn lǐ zhǐ yào tā yī bì shàng yǎn jīng gè
和变化他都记在心里,只要他一闭上眼睛,各
zhǒng gè yàng de zhú xíng biàn huì chéng xiàn zài zì jǐ de yǎn qián
种各样的竹形便会呈现在自己的眼前。

wén yǔ kě huà zhú shí yǐ dé chéng zhú yú xiōng yǎn qián rú qīn
文与可画竹时,已得成竹于胸,眼前如亲

见竹形一般，所以执笔熟视，转眼之间，栩栩如生的翠竹便已呈现在纸上，晁补之曾赞他曰："与可画竹时，胸中有成竹。"

含义：比喻做事之前已有充足的准备。

bǎi zhé bù náo
百折不挠

东汉时期,有个官员名叫乔玄,他为人正直,廉洁公正,疾恶如仇。

一天,一伙盗贼偷偷溜进乔玄的家,绑架了他的小儿子,并威胁乔玄说:"马上把钱都拿出来,不然就要你儿子的命。"守备的官兵听到声音后,立刻包围了整个院子,将盗贼围在中间。但由于乔玄的儿子在盗贼手中,官兵便与他们僵持着。

这时,乔玄突然说:"有了这些盗贼,百姓就无法安居乐业,不能因为我的儿子就放过这些作恶多端的人,马上抓住他们。"官兵们听后,不敢抗旨便将盗贼全部抓住。可是乔玄的儿子却被狠毒的盗贼杀死了。

后来，汉朝的大文学家蔡邕在颂文中 称赞乔玄说："其性 庄，疾华尚朴，有百折不挠，临大节而不可夺之风。"

含义：无论受了多少苦都不退缩，形容意志坚强。

千钧一发
qiān jūn yī fà

西汉时，沛侯刘濞被高祖刘邦立为吴王后，高祖十分担心他会谋反，但因他是众人举荐的，也就没有办法了。

许多年以后，高祖驾崩，幼主刘盈继位，吴王刘濞心生反叛之心，试图推翻朝廷。

吴王手下有一谋臣叫枚乘，他认为时机并不成熟，而且这样做也十分冒险，就给刘濞写了封信。信中比喻现在的形势就好像是一根头发吊着千斤重的东西，悬挂在极高的地方，下面则是万丈深渊。就连头脑极其愚笨的人也知道其结果是怎么的，由此劝诫刘濞，一定要三思。而刘濞过于孤高自傲，他看了看枚乘的信，随手扔到地上，脸上挂着一副不

xiè yī gù de biǎoqíng
屑一顾的表情。

　　liú bì yī yì gū xíng de lián hé gè zhū hóu xīng qǐ fǎn pàn zhī
　　刘濞一意孤行的联合各诸侯兴起反叛之
jūn　　zuì hòu　　hái shì bèi cháo tíng de jūn duì gěi zhèn yā xià qù le
军，最后，还是被朝廷的军队给镇压下去了。

　　hán yì　　qiān jīn zhòng de dōng xī guà zài yī gēn tóu fā shàng　bǐ
　　含义：千斤重的东西挂在一根头发上，比
yù shì qíng wēi jí
喻事情危急。

骑虎难下
qí hǔ nán xià

当年，周宣帝昏庸无道，枉害忠良。当朝国丈杨坚好言相劝，可周宣帝不但不听劝，反而对杨坚怀恨在心。慢慢地周宣帝觉得杨坚干涉的事情越来越多，对自己的威胁越来越大，便决定除掉他。

一日，周宣帝喝醉酒回宫时，对搀扶他的杨皇后迷迷糊糊说道："别看你对我这么好，早晚有一天，我要杀死杨坚，灭你全家。"

杨坚听说周宣帝要杀他后，就决定要先下手为强。他的妻子也在一旁说："现在的你就像是骑在老虎的背上，想下也下不来。如果你不把老虎打死，那么你下来也肯定会被老虎吃掉。"杨坚觉得有道理，便抓紧时间，控制军权

^{yǐ fáng hòu huàn}
以防后患。

^{kě shì zhōuxuān dì yě méi lái de jí shā yáng jiān zì jǐ jiù yīn}
可是周宣帝也没来得及杀杨坚,自己就因
^{bìng qù shì le}
病去逝了。

^{hán yì bǐ yù shì qíngzhōng tú yù dào kùn nán wèi xíng shì suǒ}
含义:比喻事情中途遇到困难,为形势所
^{pò yòu nán yǐ zhōng zhǐ}
迫,又难以终止。

一窍不通

yī qiào bù tōng

商朝的最后一个君王纣王在位时，相传他统治残暴，荒淫无道，终日只知道与宠妃妲己饮酒作乐，根本不把国家的政事放在心上，而且他杀人如麻，十分凶残。

纣王的叔父比干实在看不下去纣王的行为，他想"再这样继续下去，商的统治恐怕就完了！"为了商国的将来，他决定冒死劝谏。

然而可悲的是，忠直的比干劝谏不但没有成功，反而使得纣王恼羞成怒便下令："将比干处死，把他的心挖出，听说比干的心有七窍，我倒要看看他的心究竟是怎么长的？"于是，仗义直言的比干就这样惨死于纣王的刀下。

后来，孔子听说了这件事，他十分气愤，怒

斥纣王说："其窍通，则比干不死矣。"意思是说，纣王身上的七窍只要有一窍通，就不会这般残虐不仁，他就不会杀死比干了。

含义：比喻任何一件事都不懂。

pò fǔ chénzhōu
破釜沉舟

　　秦朝末年，由于统治无方，导致先前被秦始皇吞并的六国纷纷起兵反击，各地的农民起义军也开始反秦。秦军大将章邯由于精通各种战术，击退了各路战将。

　　秦军击败楚国后，又带领大军攻打赵国的都城，赵国打不过秦军，派人前去向项羽求救。项羽便亲自带兵赶去援助。

　　项羽带领大队人马渡过漳河后，为了给士兵鼓气，便下令把停在岸边的渡船全部弄沉，把随军带的行军饭锅也全部砸碎，并亲自将军帐放火烧掉。每人只准带三天的粮食上战场。并告诉士兵说："我们已经没有退路，只能取胜，不许失败，我们要与秦军决一死战。"

-108-

xiàng yǔ dài lǐng de shì bīng zài yǔ qín jūn de zhàn dǒu zhōng gè

项羽带领的士兵在与秦军的战斗中，个

gè yuè zhàn yuè yǒng shì sǐ shā dí jīng guò yī fān xuè zhàn zhōng yú jī

个越战越勇，誓死杀敌，经过一番血战，终于击

bài le qín jūn de èr shí wàn rén mǎ qǔ dé le shèng lì

败了秦军的二十万人马，取得了胜利。

hán yì bǐ yù xià dìng jué xīn wèi le chéng gōng bú gù yī

含义：比喻下定决心，为了成功不顾一

qiē xiān duàn le zì jǐ de hòu lù

切，先断了自己的后路。

tóu bǐ cóngróng
投笔从戎

　　班超是东汉时期抗击匈奴的一代名将。少年时的他就勤奋好学、志向远大。

　　当时班超家里贫穷，只有他和老母亲两个人。屋中除了一些破旧的书籍之外，别无它物，班超只能靠替人写一些文稿来赚些零用钱来维持生计。

　　一日，班超又在家中替人写稿，忽然听到外边战马嘶吼，班超想起了征战在杀场的将士，越写心里觉得越烦乱。他想大丈夫志在四方，怎能整日呆在家中舞文弄墨，如今战争不断，我应该到战场上去发挥自己的才智，为国立功。

　　不久，班超自告奋勇，带兵征战西域，抗

击匈奴，他凭借自己的聪明才智，勇猛善战
最后，击败了匈奴其它敌人，为国家立下赫赫
战功。

含义：原指弃文从武。也可作：放弃一件
事，去做另一件事。

毛遂自荐

máo suì zì jiàn

秦国派大军围攻赵国后，赵王便决定让平原君到楚国去请求援助。

平原君决定带二十名出色的门客一同前往楚国，争取让楚国派兵援赵。可是平原君挑来挑去，只选出十九人。

这时，一个叫毛遂的门客走上前来说道："我希望能随您一同前往去说服楚王。"平原君知道毛遂在平时表现一般，便有些犹豫。毛遂又说道："我虽然在平时没有特殊表现，但还是希望能给我一次机会，我一定会尽我全力说服楚王。"平原君听后，想了想，便决定带他一同前往。

到了楚国，平原君与楚王谈了一上午，也

没谈出结果。这时，毛遂挺身而出，镇定地走到楚王面前，陈述利害关系，软硬兼施，楚王才答应派人带兵去救赵国。

含义：比喻遇到事情，自告奋勇，敢于推荐自己。

入木三分

rù mù sān fēn

　　王羲之是晋代著名的书法家,他的字苍劲有力,已经达到炉火纯青的地步。

　　相传,在他很小的时候,写的字就受到了左邻右舍的夸奖。在他十二岁那年,一次偶然的机会,他在父亲的枕头里找到一本有关前人写字笔法的书,便如获至宝,每天书不离手。经过一段时间,他的书法就有了很大的长进。

　　王羲之长大后,曾陪皇帝去北郊祭地祭祀,皇帝见写祭文的木板由于久历风雨,已被腐蚀得残破不堪,便命王羲之重写一块。

　　王羲之大笔一挥,一排排苍劲浑厚的字迹就呈现在大家面前,当匠人拿去刻字时,不禁都大吃一惊:"天啊,这笔法真是绝了,字的墨

zhī jū rán tòu·rù mù bǎn yǒu sān fēn zhī shēn   zhè yàng de hǎo bǐ   lì
汁居然透入木板有三分之深，这样的好笔力，

kǒng pà zhǐ yǒu wáng xī zhī cái néng dá de dào ā
恐怕只有王羲之才能达得到啊！"

wáng xī zhī zì cǐ yǐ hòu gèng jiā shēng míng yuǎn yáng le
王羲之自此以后更加声名远扬了。

hán yì   xíng róng shū fǎ yǒu lì   yě yòng lái bǐ yù yì lùn shēn
含义：形容书法有力，也用来比喻议论深

kè
刻。

lì bù cóng xīn
力不从心

　　班超任驻外使节三十余年，他以杰出的军事才华和外交能力为汉王朝统一北方，立下了汗马功劳。可随着年纪的增长，班超逐渐感到自己的身体一天不如一天，于是便想落叶归根，回到自己的故乡洛阳。

　　班超七十岁时，就向皇帝上疏请求回归故乡，但汉和帝知道班超走后，他的职位根本就没有人能胜任，就没有批准。

　　班超的妹妹知道后，就替班超向皇帝再次上疏。奏疏中写道："班超年岁已大，身体逐渐衰退，如果遇到紧急的事情，就算是他有心去做，恐怕他也没有力气了。所以肯请皇帝，看在他多年为国立功的情况下，允许他在

yǒu shēng zhī nián kě yǐ huí dào zì jǐ de gù xiāng ān dù wǎn nián
有生之年可以回到自己的故乡,安度晚年。

hàn hé dì kàn le zòu shū hòu hěn shòu gǎn dòng mǎ shàng xià
汉和帝看了奏疏后,很受感动,马上下

zhǐ ràng bān chāo lì jí dòng shēn huí guī luò yáng
旨:让班超立即动身,回归洛阳。

hán yì bǐ yù xīn lǐ xiǎng zuò kě shì zì jǐ de néng lì què
含义:比喻心里想做,可是自己的能力却

dá bú dào
达不到。

qǔ cháng bǔ duǎn
取长补短

春秋战国时期，各地争战不断爆发，国土四分五裂。当时滕国土地狭窄，滕国国君滕文公为与周边各国保持友好盟国，所以经常来往与各国之间。

一次，滕国太子去楚国结盟，途经宋国时就去拜见周游列国的孟子，他知道孟子是当时有名的思想家、政治家，便去向他请教一番治国的道理。

孟子鼓励他要学习古代的尧、舜，实行井田制，阐明要以仁、义、礼贤明地治理国家和施行政见的重要性。

孟子还说："滕国土地狭长，如果把土地中长的地方割下来，补到短的地方，面积大约

也有五十平方里吧！如果治理方法得当，必定
会有所发展的。"滕太子听后，若有所思的点了
点头，告辞离去了。

含义：指在为人和做事时吸取别人的长
处，弥补自己的短处。

萍水相逢

从前，有一个叫王勃的才子，他虽然很有才气，但在官场上并不得志。

有一次，王勃在回家探亲的路上，路过洪州，正好赶上洪州都督重修滕王阁，在此宴请宾朋好友，王勃也就顺便参加了。

宴会上，各位宾客们依照职位高低、年龄大小依次入坐，所以王勃也就只能坐在最后一个席位上。

宴席间，都督为了让大家见识一下女婿吴子璋的文采，就让大家为滕王阁作序。宾客们心里都明白都督的意思，所以当仆人把文房四宝拿到面前时，都没有人敢接。当走到最后，送到王勃面前时，王勃从容地接过文房四宝，写出了著名的《滕王阁序》。文中写在场宾客时说道:"萍水相逢,尽是他乡之客。"道出了他对当时的感慨。

含义:比喻从来不认识的人偶然相遇。

卧薪尝胆
wò xīn cháng dǎn

春秋时期，吴国和越国两国交战，越国战败投降，越王勾践被迫去吴国服役。

在吴国，勾践身穿粗布衣裳每日为吴王夫差养马驾车，他的妻子也如一般仆人一样。就这样，日复一日，年复一年，越王勾践在吴国受尽了百般的折磨和羞辱。终于在三年后，吴王觉得勾践的确甘心臣服，已不可能起兵反抗自己，就让他带着妻子、随从回国了。

越王勾践回国以后，暗暗发誓一定要报仇雪耻。他还在睡在稻草上，并在自己的卧榻旁挂上苦胆，每天都要去舔尝胆汁，借此来提醒自己记住在吴国所受的苦和羞辱，让胆汁的苦味时刻激励自己的复仇意志。

cóng cǐ yǐ hòu　　yuè wáng gōu jiàn chù chù shēn tǐ　lì xíng　　lì jīng
从此以后，越王勾践处处身体力行，励精

tú zhì　　shǐ yuè guó de jīng jì　hé jūn shì shí lì dōu dé dào le hěn dà
图治，使越国的经济和军事实力都得到了很大

de fā zhǎn　zuì zhōng yì jǔ xiāo miè le wú guó　　yì xuě qián chǐ
的发展，最终一举消灭了吴国，一雪前耻。

hán yì　　xíng róng rén kè kǔ zì lì　　lì zhì wèi guó jiā bào chóu
含义：形容人刻苦自励，立志为国家报仇

xuě chǐ
雪耻。

鹤立鸡群

嵇绍是晋代著名文学家嵇康的儿子，嵇绍长大后成了惠帝司马衷的侍卫，每天跟随左右，早晚不离。

一次，河间王和成都王联合起来，阴谋造反。当时他们兵临城下，情况十分危急，惠帝便亲自带兵出征，由于对方人多马壮，惠帝损兵折将，随身侍卫死的死，伤的伤，不顾惠帝的安危四处逃窜，眼看惠帝就要陷入敌军的包围中。

这时，嵇绍冲上前去，奋勇杀敌，救出了陷入困境的惠帝。

事后，人们议论当时嵇绍满身是血，仍然奋勇杀敌的情景，便说："嵇绍与那些不堪一击和临阵脱逃的士兵相比，简直就像是野鹤站在鸡群中。他不仅是个英俊魁武，仪表堂堂的美男子，还是一个威猛无比的侍卫。

含义：比喻一个人的才能或仪表在众多人里显得很突出。

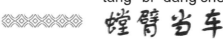

táng bì dāng chē
螳臂当车

春秋末期,鲁国有位很有名气的学士叫颜阖。卫灵公决定邀请颜阖来做他儿子蒯聩的老师。

颜阖想:蒯聩十分残暴,我要是做他的老师,来教导他,说不定会招来杀身之祸。颜阖自己也拿不定主意,就去拜访卫国的蘧伯玉。

蘧伯玉对颜阖说:"我给你讲一个故事。有一辆马车在山间的小路上行驶,小动物见马车过来,便都急忙躲避,怕车轮压伤自己。可是有一只螳螂却显出一副毫不惧怕的样子,站在路中间,伸出两只前足,向车轮冲来,准备阻止车轮的前进。结果,可怜的螳螂被车轮碾得粉身碎骨。螳螂之所以被碾死,是因为不自量力，如果你真想去改变蒯聩的恶习，结果恐怕会像螳螂一样。"颜阖听后，觉得蘧伯玉说得很有道理。于是婉言拒绝了卫灵公之邀。

含义：比喻不估计自己的力量，去做办不到的事情，必然招致失败。

家喻户晓

从前,有一个善良的女人叫梁姑姊。

有一天晚上,梁姑姊外出回来,发现家中失火。大火把她和哥哥的孩子都困在了屋子里。梁姑姊的脑海里突然闪过一个念头,一定要先把哥哥的孩子救出来。梁姑姊顾不得多想,她知道哥哥的孩子平时睡在外面。于是冲入屋内,抱起外边的孩子就往外跑。

梁姑姊跑出来时,自己的衣服上也着起了火。可是她顾不得自己,打开衣服一看,不由吓了一跳,原来抱出来的竟是自己的孩子。他急忙放下自己的孩子,准备再次冲进屋里,这时房子已经烧成一片火海,根本进不去。梁姑姊心想,如果我只救出自己的孩子,不救哥哥

^{de hái zi}　^{bié rén yī dìng huì shuō wǒ zì sī de}　^{zhè gè míng shēng}
的孩子，别人一定会说我自私的。这个名声
^{chuán de jiā jiā zhī dào}　^{wǒ hái yǒu shén me liǎn huó zài shì shàng}　^{yú shì}
传得家家知道，我还有什么脸活在世上，于是
^{tā yòu chōng jìn huǒ hǎi}　^{zhè yī cì tā méi néng zài chū lái}
她又冲进火海，这一次她没能再出来。

^{hán yì}　^{bǐ yù pǔ jí miàn guǎng měi jiā měi hù dōu zhī dào}
含义：比喻普及面广，每家每户都知道。

一鸣惊人

春秋时期，楚国的国君楚庄王整天沉溺于酒色之中，连续三年不问朝政，各国诸候趁机入侵楚国，致使楚国丧失不少国土。许多大臣虽然十分担心国家安危，但又不敢向楚庄王进谏，因为楚庄王性情暴躁，弄不好还会招来杀身之祸。

朝中有一个忠心耿耿的臣子，对于此事非常着急，便决定劝谏楚庄王。

一天，他急中生智想出一个谜语请楚庄王猜，说："有一只大鸟，落在大王的庭院里已有三年了，可是它不飞也不叫，您知道这是怎么回事吗？"楚庄王听后，知道是在讽刺自己，立即说："此鸟不飞则已，一飞必定冲天，

bù míng zé yǐ　　yī míng bì dìng jīng rén
不鸣则已，一鸣必定惊人。"

hòu lái　　chǔ zhuāng wáng zhěng lǐ cháo gāng　shōu fù shī dì　　guó
后来，楚庄王整理朝纲，收复失地，国
shì hěn kuài qiáng shèng qǐ lái
势很快强盛起来。

hán yì　　bǐ yù píng shí méi yǒu tū chū de biǎo xiàn　　yī gàn jiù
含义：比喻平时没有突出的表现，一干就
yǒu jīng rén de chéng jì
有惊人的成绩。

bù kě jiù yào
不可救药

西周厉王姬胡在位时，不顾百姓安危，而且十分残暴。大臣出于为百姓着想，就对周厉王说："再这样下去，百姓会造反的。"可周厉王不但不听，还派人出去把那些议论他的人全部关进大牢。

当时，朝中有个叫凡伯的大臣，他见周厉王如此对待百姓，便劝谏周厉王。周厉王一听，便大发雷霆，但念在凡伯立过不少功又是个老臣，就没有惩罚他。

第二天上朝时，文武百官知道了凡伯劝谏的事，便嘲笑他说："你还敢去劝历王，这不是自找没趣吗？"凡伯一听愤然离去。

后来，凡伯就写下了一首题目为《板》的诗

xiàng lì wáng jìn jiàn, yì sī shì shuō, lì wáng huài shì zuò jué, jiù xiàng
向厉王进谏，意思是说，历王坏事作绝，就像
rán shāo zhe de dà huǒ, jiù shì xiǎng pū yě méi bàn fǎ pū miè, yǐ jīng
燃烧着的大火，就是想扑也没办法扑灭，已经
bù kě jiù yào le
"不可救药"了。

hán yì: bǐ yù rén huò shì wù huài dào wú fǎ wǎn jiù de dì bù
含义：比喻人或事物坏到无法挽救的地步。

双管齐下

shuāngguǎn qí xià

唐朝时期，是中国古代从政治到经济以至文化、科技极度发达的时期。有数不清杰出的书法家和画家都在这个时期留下很多传世之作，所以历史上又有盛唐之称。

当时，有一位著名的画家，此人画的画远近闻名，堪称一绝。他最喜欢画水墨丹青山水松石。

此人画松的方法非常特别，可以用两只手同时握住两支笔，两支笔在纸上同时作画，一支笔画松枝，另一支笔画松针，两支笔游刃有余，画出的松树栩栩如生。而且作画速度很快，有淋漓尽致的感觉。

许多画家得知这种画法，便上门前来拜

fǎng tā de zhè zhǒng tè shū jì néng yě bèi hòu rén mó fǎng
访,他的这种特殊技能也被后人模仿。

chéng yǔ shuāngguǎn qí xià biàn yóu cǐ ér lái
成语"双管齐下"便由此而来。

hán yì běn zhǐ huà huà shí liǎng zhī shǒutóng shí bìngyòng bǐ yù
含义:本指画画时两只手同时并用,比喻

kě yǐ liǎngfāngmiàntóng shí jìn xíng
可以两方面同时进行。

以卵击石

墨子是我国春秋战国时期的著名思想家，他不仅学识广博而且为人十分自信。

一次，墨子从鲁国去齐国。一路上鸟语花香，墨子心情非常舒畅。

途中，墨子碰到一个与他同路的人，这人身材削瘦，用很惊讶的眼神看着墨子。墨子感到很奇怪，就上前去问他说："请问公子为何用这种眼光盯着老夫看呢？"

那人回答说："据我卜卦，今日北方忌讳墨色，而你脸色发暗，所以此行恐怕是凶多吉少，还是不去为妙呀！"

墨子听后，并不相信这些话。并说道："你算的不可能准确，任何事要用真理来证实，用你的谬论来反驳我的真理，就等于拿鸡蛋往石头上敲，必然粉身碎骨。"说完，墨子继续赶路前行。

含义：原意指拿鸡蛋往石头上碰，比喻不自量力，自取灭亡。

sān gù máo lú
三顾茅庐

东汉末年，天下大乱，各国之间战争不断，各路诸候纷纷争当霸主。

刘备的军师便说："南阳有位隐士诸葛亮，此人神机妙算，如果主公能够得到他的帮助，必将成就一番大事业。"刘备听后立即带上关羽、张飞前往南阳请诸葛亮出山相助。

三人到达南阳时，正好赶上诸葛亮出门未归，无奈只好失望的走了。

过了不久，刘备听说诸葛亮回到南阳，又一次带上关羽和张飞连夜冒雪，来到南阳。谁知不巧，又扑了个空。

当三人再次来到南阳时，诸葛亮正在睡觉。张飞不耐烦地要叫醒诸葛亮，可刘备却说要耐心在茅草屋外等候。当诸葛亮醒来时，被刘备三次来请所感动。决定出山帮助刘备一起共创千秋大业。

含义：原指刘备到茅草屋去请诸葛亮，后来指诚心诚意一再邀请。

举一反三
jǔ yī fǎn sān

孔子是我国伟大的思想家、教育家。他对能自己进行多方推理和思考的学生很赞赏。

一次，孔子和弟子子贡在一起讨论。子贡问："一个贫穷时不谄媚，富贵时又不骄傲的人，他可以说是品德很好吧？"

孔子笑了笑说："可以这么说，但我们应该努力做到安贫乐道、富而好礼。"子贡想了一会，又问："我想起诗经上说，美玉、象牙切断后，都必须加以精雕细琢，大概就是这个意思吧！"孔子听后满意地笑了。

又有一次，孔子教育弟子说："你们不只要学会单方面思考，还要学会反复思考。比如，在一个屋子里面，我拿一个墙角举例子，你们

就应借此联想到其它三个墙角，并能用三个
反证一下，我的说法是不是正确。"弟子们听
后都低下了头，觉得老师所言有理。

含义：比喻通过做一件事情类推而知道许
多事情的道理。

一鼓作气
yī gǔ zuò qì

春秋战国时期，齐国出兵攻打实力弱小的鲁国，鲁庄公不畏强暴，准备出兵迎战。

当时鲁国有一个叫曹刿的人，他精通兵法，深谋远虑。他主动要求与鲁庄公一同带兵出战，鲁庄公很赏识他，便封他为军师。

战场上，齐国先擂鼓出兵，发起进攻，鲁庄公准备下令擂鼓迎战时，曹刿说道："再等一等，时机未到。"齐国见鲁军没有反应，便再次擂鼓，直到齐国第三次擂鼓，曹刿才让下令擂鼓出战，鲁军听到鼓声，士气大振，像猛虎出山一样冲了出去，把齐军打得四处逃窜。

战后，鲁庄公问曹刿为什么，曹刿说："士兵打仗全凭士气，齐军第一次擂鼓，士气很

旺，第二次擂鼓，士气就有所减弱，第三次擂
鼓，就已经气力衰退，此时我军一鼓作气，气势
正旺，所以就击败了强大的齐军。"

含义：比喻趁劲头大的时候一下子就把事
情完成。

东施效颦

春秋时候，越国有个女子，名叫西施。西施长的如花似玉，见过她的人都说她是天下最漂亮的女人。

西施有个心口疼的毛病，每次犯病时，她都用手捂住胸口，紧紧地皱起眉头。大家看到她这副病态表情，也觉得别有一番妩媚风姿。

这话传到村子里一个叫东施的耳朵里。东施天生丑陋，可总想把自己打扮的漂亮一些。听人说西施非常漂亮，就想去模仿她。

一天，东施在街上正好看到西施，而此时西施又犯了心口疼的毛病，东施见她病态时也非常漂亮。于是东施每天出门，也装出有病的样子，把手捂在胸口处，眉头紧皱，露出一

fù nán shòu de yàng zi　　cūn lǐ rén jiàn dào tā zhè fù chǒu mó yàng　dōu

副难受的样子。村里人见到她这副丑模样,都

yǐ wéi tā zhēn de dé le shén me guài bìng　jiàn dào tā de rén dōu yuǎn yuǎn

以为她真的得了什么怪病,见到她的人都远远

di bì kāi tā

地避开她。

hán yì　　bǐ yù bù jiā sī suǒ dì hú luàn mó fǎng bié rén　jié

含义:比喻不加思索地胡乱模仿别人,结

guǒ què hěn huài

果却很坏。

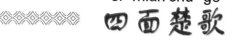

四面楚歌

公元前二百零三年,刘邦派韩信率领大军去围攻项羽的楚军。由于楚军毫无防备,所有人马都被包围在垓下(地名)。

为了瓦解楚军的势气。刘邦命令张良吹箫,汉军大唱楚地民歌。凄凉的箫声伴着悲切的楚歌从四面八方传到了楚军的营中,勾起了楚军的思乡之情,更引起了他们的厌战情绪。项羽在大帐中听到楚歌,不禁大为惊诧,他深知这四面八方传来楚歌的威力。项羽走出帐篷,看见士兵一个个眼含热泪,意志消沉已全无斗志,还有一部分士兵,已经成群结队趁乱逃走。

当晚,项羽带领八百精兵突围,刘邦带兵

紧紧追杀。最后，只有项羽一人逃到乌江边上，望着波涛汹涌的江水，项羽觉得无颜面对江东的老百姓，拔剑自刎了。

含义：原指从四面都能听到楚人的歌声，比喻四面受敌，处于孤立危急的困境。

dà qì wǎn chéng
大器晚成

三国时期，魏国有个叫崔琰的人，此人英俊潇洒，学识渊博。他的亲朋好友都夸他年青有为。当时的曹操也很赏识他，并且留在自己的身边做谋士。

崔琰有个堂弟叫崔林。崔林从小性格内向，只知道刻苦学习。亲友总是说崔林与哥哥崔琰相比可差远了，像个书呆子，将来不会有什么作为。

崔琰听后，笑着对亲友说："你们可不要过早地下结论，以崔林现在的学识和才干，将来一定会有所成就，此正所谓'大器晚成也，终必远至'。"

后来，崔林由于学识很高，名声远扬，不

负哥哥重望，果然出人头地，被曹操予以重
任，封为安阳乡侯。所以说人只要有才学，成
其大器只是早晚的事。

含义：指能担当大事的人要经过长期的
锻炼，所以成就比较晚。

儿童五彩故事　成语故事　　　　　　　　　　　编　绘:林　雨

责任编辑:严黛玲　　　　　　　　　　　　　　　　封面设计:加　速

吉林摄影出版社出版发行　　　850×1168 毫米大 32 开 25 印张 180 千字

(长春市人民大街 124 号)　　　2002 年 6 月第 1 版第 1 次印刷

长春市中兴胶版印刷厂　　　　　　　　　　　　印数: 1-5000 册

ISBN 7-80606-438-9/G · 89　　　　　定价: 55.00 元(单册:11.00 元)